Laure Kié

LE JAPON EN 4 INGRÉDIENTS

Photos : Patrice Hauser
Recettes et stylisme : Laure Kié

MANGO

SOMMAIRE

PRÉFACE

こんにちは！
Konnichiwa* !

Nous avons l'image d'une cuisine japonaise très sophistiquée, qui nous semble à mille lieux de ce que nous avons l'habitude de réaliser à la maison. Et vous pensez sans doute que c'est une cuisine trop compliquée pour vous. Détrompez-vous, elle peut être au contraire extrêmement simple à réaliser, économique et à la portée de tous !

Avec **seulement 4 ingrédients** (sans compter le sel, le poivre et l'huile de cuisson), vous vous surprendrez à concocter des plats qui vous semblaient complexes et dans lesquels vous n'osiez pas vous lancer. Je vous livre ici les principales recettes traditionnelles de la cuisine japonaise comme par exemple les sushi, maki, yakitori, teriyaki ou soupe miso qui se réalisent tout simplement... en deux temps, trois mouvements.

Il suffit juste de vous munir au préalable de quelques ingrédients de base dont vous trouverez le détail p. 8.

J'espère que vous serez vous-même surpris de pouvoir réaliser aussi simplement des plats aux saveurs aussi lointaines.

À vos baguettes !

Laure Kié

* *Bonjour !*

LE PLACARD IDÉAL

Daïkon

Sauce soja sucrée

Sauce teriyaki

Poudre dashi

Huile de sésame toasté

Soba

Ramen

Wasabi

Sauce soja

Mirin

Vinaigre
de riz
Wakamé
Graines
de sésame
Riz japonais
Ciboule
Nori
Miso
Gingembre

LE PLACARD IDÉAL

Pour se lancer dans la cuisine japonaise, il est nécessaire d'avoir dans son placard quelques produits de base que vous trouverez facilement dans les supermarchés, les épiceries asiatiques ou même les magasins bio.

Pour commencer, je vous conseille d'acquérir la base, disponible dans toutes les grandes surfaces : riz japonais, sauce soja, miso, vinaigre de riz, huile de sésame, graines de sésame et bouillon dashi. Avec ces quelques ingrédients, vous allez déjà pouvoir réaliser des sushi, des sashimi, des salades japonaises, des soupes miso, des sauces et des marinades qui seront un premier pas dans l'univers de la cuisine japonaise.

LES BASIQUES

Voici quelques ingrédients à avoir impérativement dans son placard pour pouvoir se lancer dans les recettes de base de la cuisine japonaise.

Sauce soja et sauce soja sucrée
La sauce soja peut être considérée comme le sel de chez nous. Cet assaisonnement est omniprésent dans la cuisine japonaise, impossible de vous en passer ! Sa version sucrée apporte une douceur agréable aux plats.

Riz japonais
Le riz est l'ingrédient central de la cuisine japonaise et le bol de riz accompagne tous les repas quotidiens. C'est également l'ingrédient indispensable pour la réalisation des fameux sushi.

Vinaigre de riz
Ce vinaigre très doux est indispensable pour assaisonner le riz à sushi ou tout simplement pour réaliser une vinaigrette.

Huile de sésame toasté
Cette huile parfumée, extraite de graines de sésame torréfiées, est idéale pour les vinaigrettes et les marinades.

Miso
Cette pâte issue de la fermentation des fèves de soja sert à la réalisation de la fameuse soupe miso. Vous pourrez également l'utiliser dans une marinade ou dans une sauce.

Poudre de bouillon dashi
Le bouillon dashi est à la base de la cuisine japonaise. Il sert bien sûr à réaliser des soupes mais il entre également dans la composition de l'omelette ou du flan japonais.

Graines de sésame
Ces petites graines sont essentielles pour donner une saveur

caractéristique de la cuisine japonaise. On les retrouve dans le riz, les salades, les sauces et même dans les desserts sous forme de purée !

LES SAUCES ET ASSAISONNEMENTS

Il existe maintenant des sauces toutes prêtes que vous n'aurez aucun mal à vous procurer... plus d'excuses pour ne pas cuisiner japonais au quotidien !

Sauce teriyaki et yakitori
Ces 2 sauces délicieuses vont vous permettre de réaliser le fameux saumon teriyaki ou les brochettes qui font le succès de la cuisine japonaise !

Mirin
C'est un alcool de riz sucré qui est fréquemment utilisé pour assaisonner les plats au moment de la cuisson.

Sauce ponzu
Cette sauce à base de soja et d'agrumes est principalement utilisée pour accommoder les nouilles.

Wasabi
Cette moutarde japonaise réalisée à partir de la racine de wasabi, cousin du raifort, est la compagne idéale des sushi !

LES ALGUES

Les algues sont incontournables dans la cuisine japonaise. Le nori est sans doute le plus connu car cette feuille d'algue entoure les fameux maki. Vous n'aurez aucun mal à en trouver, il est présent dans le rayon exotique de toutes les grandes surfaces ! Le wakamé est également une algue très répandue. On la sert en salade, dans les soupes ou en garniture de nouilles.

LES NOUILLES

Avec le riz, les nouilles constituent le principal apport en céréales des repas japonais. Les plus connues sont les soba (nouilles de sarrasin), les ramen (nouilles de blé originaires de Chine), les udon (nouilles de blé épaisses), les somen et les yakisoba (nouilles sautées). Vous trouverez dans ce livre une recette de chacune de ces variétés de nouilles.

LES LÉGUMES

Quelques légumes disponibles dans la plupart des primeurs sont très répandus dans la cuisine japonaise :

- **Le daïkon**, un long navet blanc très doux qui est utilisé sous toutes ses formes au Japon, notamment dans des salades ou râpé pour accompagner les plats.

- **Le gingembre frais**, utilisé sous forme râpée dans des marinades, des sauces ou des poêlées.

- **La ciboule** (ou cébette) est une tige dotée d'un bulbe. Plus petite que l'oignon nouveau, son goût se rapproche de la ciboulette.

- **Le shiitaké** (ou lentin de chêne) est un champignon au goût parfumé. On le trouve séché (en épicerie) ou frais (chez les primeurs).

ENTRÉES ET ACCOMPAGNEMENTS

Un repas japonais est souvent composé - en plus du riz ou de la viande - d'une salade, de légumes, d'œufs ou de tofu. Vous trouverez ici des recettes traditionnelles ou originales mais toutes simples et savoureuses pour compléter vos plats. Et les plus gourmands pourront se lancer dans la confection des délicieux gyoza !

60 g de tofu soyeux

1 sachet de poudre de bouillon dashi

1 cuillerée à soupe d'algues wakamé séchées

4 cuillerées à soupe rases de miso

SOUPE
MISO

Pour 4 personnes
Préparation : 10 minutes • Cuisson : 5 minutes

Égouttez le tofu, coupez-le en petits cubes.

Dans une casserole, diluez la poudre de dashi dans 1,2 litre d'eau. Portez à ébullition.

Hors du feu, ajoutez dans la casserole le wakamé ainsi que le miso dilué au préalable dans un peu de bouillon.

Répartissez le tofu dans des bols et versez dessus la soupe bien chaude.

Il existe dans le commerce des cubes de miso qui contiennent déjà du dashi. C'est encore plus simple à réaliser !

SALADE JAPONAISE
AU CONCOMBRE

Pour 4 personnes
Préparation : 5 minutes • Repos : 10 minutes
Cuisson : 20 minutes

Réhydratez les algues wakamé dans un saladier d'eau froide pendant 10 minutes. Égouttez-les en les pressant avec vos mains.

Pelez le concombre, coupez-le en deux dans la longueur et épépinez-le. Émincez-le et faites-le dégorger dans une passoire avec une pincée de sel pendant 10 minutes.

Déposez les lamelles de concombre dans un saladier avec le wakamé, le vinaigre de riz et la sauce soja sucrée. Mélangez avant de servir.

++

En hiver, vous pouvez remplacer le concombre par du daïkon (long navet blanc).

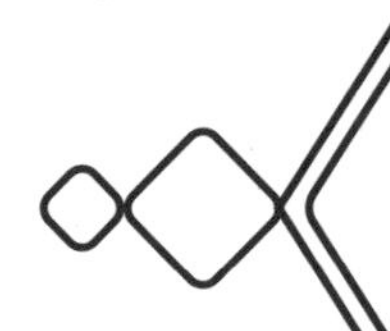

SALADE JAPONAISE
AU CHOU

Pour 4 personnes
Préparation : 5 minutes • Repos : 1 heure

Émincez le chou en très fines lanières. Déposez-les dans un saladier.

Ajoutez le vinaigre de riz, le sucre, l'huile de sésame et une pincée de sel.

Mélangez et laissez mariner pendant 1 heure avant de servir.

++

N'hésitez pas à préparer cette salade un peu à l'avance, elle se conserve jusqu'à 2 jours au réfrigérateur.

SALADE
MANGUE ET AVOCAT

Pour 4 personnes
Préparation : 5 minutes

Pelez la mangue et les avocats, retirez les noyaux et coupez-les en dés. Déposez les dés d'avocat et de mangue dans un saladier.

Râpez le zeste du citron et pressez-le pour en récupérer le jus.

Versez le jus de citron dans le saladier, ajoutez la sauce soja et mélangez.

Servez la salade décorée de zeste de citron vert.

++

Vous pouvez remplacer la mangue par de la poire.

S★PPORO S★PPORO S★PPORO

TOFU FRIT
AGEDASHI

Pour 4 personnes
Préparation : 10 minutes • Repos : 20 minutes
Cuisson : 5 minutes

Enveloppez le tofu dans une feuille de papier absorbant et laissez-le égoutter entre 2 planches pendant environ 20 minutes.

Préparez la sauce : dans une casserole, déposez la poudre de bouillon dashi. Versez 20 cl d'eau et la sauce soja sucrée. Faites réduire pendant 5 minutes environ à feu doux.

Coupez le tofu en quatre morceaux ; enrobez-les de fécule de maïs. Faites chauffer un bain d'huile dans un wok puis faites frire les morceaux de tofu jusqu'à ce qu'ils prennent une belle coloration brune. Égouttez-les sur du papier absorbant.

Déposez le tofu frit dans un bol de service. Arrosez de sauce.

3 cm de gingembre frais

750 g de tofu ferme

3 cuillerées à soupe de sauce soja

3 cuillerées à soupe d'huile de sésame toasté

TOFU AU GINGEMBRE

Pour 4 personnes
Préparation : 10 minutes • Cuisson : 5 minutes

Râpez le gingembre et coupez le tofu en bouchées.

Dans un bol, mélangez le gingembre, la sauce soja et 2 cuillerées à soupe d'huile de sésame.

Poêlez les bouchées de tofu de tous les côtés dans le reste d'huile de sésame pendant environ 5 minutes.

Versez la sauce. Mélangez pour que le tofu soit bien enrobé de sauce. Retirez du feu et servez aussitôt.

Vous pouvez remplacer la sauce soja par sa version sucrée pour avoir une saveur plus douce.

おこしやす京都

OMELETTE
JAPONAISE

Pour 4 personnes
Préparation : 10 minutes • Cuisson : 10 minutes

Délayez la poudre dashi dans 5 cl d'eau chaude. Dans un saladier, battez les œufs à la fourchette avec le bouillon, le mirin et 1 pincée de sel. Faites chauffer 1 cuillerée à soupe d'huile dans une poêle (rectangulaire de préférence), puis versez une petite quantité d'œuf battu de façon à former une fine crêpe. Roulez la crêpe jusqu'au bord opposé de la poêle.

Versez à nouveau une petite quantité d'œuf battu. Soulevez légèrement la crêpe roulée précédemment pour faire passer un peu d'œuf en dessous. Laissez prendre puis roulez cette nouvelle crêpe jusqu'au bord opposé de la poêle.

Renouvelez l'opération jusqu'à l'épuisement de l'œuf battu : vous obtenez ainsi une omelette japonaise, rectangulaire ou cylindrique selon la forme de la poêle.

Coupez l'omelette en tranches. Râpez le daïkon. Servez les tranches d'omelette avec le daïkon râpé.

FLAN JAPONAIS

CHAWANMUSHI

Pour 4 personnes
Préparation : 10 minutes • Cuisson : 25 minutes

Préchauffez le four à 150 °C (th. 5). Diluez le bouillon dashi dans 40 cl d'eau chaude.

Dans un saladier, battez les œufs avec le bouillon dashi. Ajoutez le mirin et ½ cuillerée à café de sel.

Répartissez la chair de crabe dans 4 ramequins (réservez-en un peu pour la décoration). Versez par-dessus le mélange d'œufs.

Couvrez les ramequins de papier d'aluminium et déposez-les sur la grille du four. Versez 2 verres d'eau dans la lèchefrite placée sous la grille et enfournez pour 25 minutes. Décorez d'un peu de crabe réservé avant de servir.

++

Vous pouvez remplacer le crabe par des crevettes ou des petits pois cuits.

2 cuillerées à soupe de miso blanc

2 cuillerées à soupe de sauce soja sucrée

2 aubergines

Quelques brins de coriandre ciselée

AUBERGINES
AU MISO

Pour 4 personnes
Préparation : 10 minutes • Cuisson : 15 minutes

Dans un bol, mélangez le miso et la sauce soja sucrée pour obtenir une purée onctueuse.

Coupez les aubergines en deux dans la longueur. Incisez la chair avec la pointe d'un couteau en créant des croisillons. Badigeonnez les aubergines d'un peu d'huile végétale. Déposez-les sur la plaque du four recouverte de papier sulfurisé, côté peau sur le dessus. Passez-les sous le gril pendant environ 5 à 6 minutes selon leur grosseur.

Retournez-les et faites-les griller encore 5 à 6 minutes en surveillant bien la cuisson. Les aubergines ne doivent pas brûler mais la chair doit être tendre.

Étalez la purée au miso sur les aubergines (côté chair). Passez-les à nouveau sous le gril jusqu'à ce qu'elles caramélisent (environ 2 minutes). Décorez de coriandre ciselée.

SHIITAKÉ
GRILLÉS

Pour 4 personnes
Préparation : 5 minutes • Cuisson : 10 minutes

Préchauffez le four à 180 °C (th. 6). Coupez le pied des champignons. Pressez le jus du citron.

Disposez les champignons dans un plat allant au four.

Dans un petit bol, émulsionnez le jus du citron, la sauce soja et l'huile de sésame.

Versez cette sauce sur les champignons et enfournez pour 10 minutes de cuisson.

Vous pouvez remplacer le shiitaké par des pleurotes ou des champignons de paris.

ASPERGES
MISO-MAYO

Pour 4 personnes
Préparation : 10 minutes • Cuisson : 6 minutes

Éliminez la partie dure à la base des asperges et épluchez-les.

Disposez les asperges dans une poêle avec 1 filet d'huile végétale. Saisissez-les 2 à 3 minutes à feu vif puis baissez le feu, ajoutez 3 cuillerées à soupe d'eau, couvrez et laissez cuire à feu doux 3 minutes. Les asperges doivent être encore fermes mais cuites (vérifiez avec la pointe d'un couteau).

Ciselez la ciboulette. Dans un bol, mélangez le miso et la mayonnaise. Ajoutez la ciboulette ciselée.

Servez les asperges avec la sauce miso-mayo.

400 g d'épinards frais

6 cuillerées à soupe de graines de sésame noir

1 cuillerée à soupe de vinaigre de riz

3 cuillerées à soupe de sauce soja sucrée

ÉPINARDS
AU SÉSAME

Pour 4 personnes
Préparation : 10 minutes • Cuisson : 5 minutes

Nettoyez les épinards. Blanchissez-les 1 minute dans une casserole d'eau bouillante salée, puis plongez-les aussitôt dans de l'eau froide. Égouttez-les en les pressant bien avec vos mains puis coupez-les en tronçons pour faciliter la dégustation avec les baguettes.

Préparez la sauce : faites torréfier les graines de sésame dans une poêle, à sec. Déposez-les dans un mortier et pilez les graines.

Ajoutez ensuite le vinaigre de riz et la sauce soja sucrée, mélangez.

Servez les épinards avec la sauce.

GYOZA

Pour 4 personnes
Préparation : 20 minutes • Cuisson : 10 minutes

Préparez la farce : blanchissez les feuilles de chou 1 minute dans une casserole d'eau bouillante. Égouttez-les et émincez-les finement. Déposez-les dans un saladier avec la chair à saucisse et le gingembre râpé. Poivrez et mélangez.

Déposez 1 bonne cuillerée à café de farce au milieu de chaque pâte à gyoza. Humidifiez le bord de la moitié haute de la pâte et repliez celle-ci en deux en veillant à enfermer le minimum d'air dans le chausson. Collez le pourtour puis plissez-le pour bien fermer le gyoza.

Faites chauffer un filet d'huile dans une poêle, puis faites dorer les gyoza 5 minutes d'un côté. Versez de l'eau à mi-hauteur, couvrez et laissez cuire à feu vif jusqu'à l'évaporation totale de l'eau. Retirez le couvercle et poursuivez la cuisson pendant 1 minute.

Déposez les gyoza sur un plat en les retournant de façon à voir le côté doré. Vous pouvez éventuellement déguster les gyoza avec un peu de sauce soja.

TATAKI
DE MAQUEREAU

Pour 4 personnes
Préparation : 20 minutes

Retirez la peau et les arêtes des filets de maquereaux. Coupez le poisson en dés.

Râpez le gingembre. Émincez finement l'oignon nouveau.

Mélangez tous les ingrédients avec la sauce ponzu et servez aussitôt.

Vous pouvez remplacer le maquereau par de la sardine, du saumon ou du thon albacore.

PLATS

Grâce à ces recettes, la réalisation des sushi
ou des yakitori va vous paraître un jeu d'enfant !
Mais bien sûr, la cuisine japonaise ne se résume pas
à ces deux spécialités bien connues chez nous.
Je vous propose de partir à la découverte d'autres
spécialités culinaires comme le saumon teriyaki,
déconcertant de simplicité, le bœuf yakiniku,
les beignets tempura, le curry
japonais ou encore les savoureuses
nouilles ramen… De quoi cuisiner japonais
facilement au quotidien !

SAUMON
TERIYAKI

Pour 4 personnes
Préparation : 10 minutes • Repos : 30 minutes
Cuisson : 10 minutes

Râpez le gingembre. Mélangez le gingembre râpé et la sauce teriyaki.

Retirez les arêtes du saumon. Déposez les pavés de saumon dans un plat creux, et badigeonnez-les de sauce teriyaki au gingembre. Faites mariner les pavés de saumon dans cette sauce pendant 30 minutes au réfrigérateur.

Faites chauffer une poêle antiadhésive. Égouttez les pavés de saumon et saisissez-les pendant 4 à 5 minutes côté peau. Retournez-les et poursuivez la cuisson pendant 2 à 3 minutes. Versez le reste de sauce et veillez à bien enrober chaque morceau de sauce.

Ciselez la ciboulette. Servez le saumon teriyaki saupoudré de ciboulette.

HARENG GRILLÉ AU MISO

Pour 4 personnes
Préparation : 10 minutes • Repos : 4 heures (ou 1 nuit) • Cuisson : 6 minutes

Dans un bol, mélangez le miso, le mirin et le sucre. Essuyez les harengs avec du papier absorbant.

Dans un récipient hermétique, badigeonnez les harengs de sauce au miso. Laissez mariner pendant au moins 4 heures (idéalement 1 nuit) au réfrigérateur.

Retirez grossièrement la sauce au miso des harengs.

Faites-les griller pendant 3 minutes de chaque côté au barbecue ou sous le gril du four.

Vous pouvez remplacer le hareng par du maquereau.

SASHIMI
DE DAURADE

Pour 4 personnes
Préparation : 10 minutes

Enlevez la peau et les arêtes du poisson. Coupez-le en fines lamelles. Râpez le zeste du citron, prélevez son jus.

Disposez les lamelles de poisson sur un plat de service. Arrosez de jus de citron et de sauce soja.

Dans une petite casserole, faites chauffer l'huile de sésame. Dès qu'elle commence à fumer, éteignez le feu et versez-la sur le poisson.

Décorez de zeste de citron râpé avant de servir.

Vous pouvez également utiliser du bar ou du saumon pour cette recette.

TEMPURA
DE CREVETTE

Pour 4 personnes
Préparation : 10 minutes • Cuisson : 15 minutes

Préparez la sauce : dans une casserole, déposez la poudre de bouillon dashi. Versez 20 cl d'eau et la sauce soja sucrée. Faites réduire pendant 5 minutes environ à feu doux.

Décortiquez les gambas en laissant la nageoire caudale. Ôtez le filament noir en incisant le long du dos avec la pointe d'un couteau.

Dans un saladier, mélangez la farine à tempura avec 18 cl d'eau glacée. Faites chauffer un bain d'huile pour la friture.

Trempez les gambas une par une dans la pâte à tempura en les tenant par la queue puis plongez-les aussitôt dans le bain de friture. Faites frire jusqu'à l'obtention d'une légère coloration puis égouttez-les sur du papier absorbant.

Dégustez bien chaud avec la sauce.

4 poireaux fins

400 g de cuisses de poulet désossées

10 cl de sauce yakitori

Piment Shichimi togarashi (facultatif)

BROCHETTES
YAKITORI

Pour 4 personnes
Préparation : 10 minutes • Cuisson : 10 minutes

Lavez les poireaux et coupez-les en tronçons de 4 cm. Coupez les cuisses de poulet en cubes.

Sur chaque pique à brochette, enfilez des cubes de poulet et des tronçons de poireau en les alternant.

Faites griller les brochettes pendant 4 minutes au barbecue ou sous le gril du four. Trempez-les alors dans la sauce et faites-les griller à nouveau pendant 5 minutes, en les retournant à mi-cuisson, jusqu'à ce qu'elles soient bien dorées.

Trempez une dernière fois les brochettes dans la sauce et servez-les aussitôt. Saupoudrez éventuellement de piment.

BŒUF YAKINIKU

Pour 4 personnes
Préparation : 10 minutes
Marinade : 10 minutes • Cuisson : 1 minute

Préparez la sauce yakiniku : râpez l'oignon et mélangez-le à la sauce soja sucrée et aux graines de sésame dans un bol.

Faites mariner le carpaccio de bœuf dans la sauce pendant 10 minutes.

Dans une poêle huilée, faites cuire les lamelles de viande pendant quelques secondes de chaque côté.

Dégustez aussitôt.

++

La sauce yakiniku est également délicieuse pour faire mariner des légumes. Essayez avec des lamelles de courgette !

300 g de chou vert

4 à 6 cuillerées à soupe de chapelure « Panko »

4 escalopes de porc d'environ 150 g chacune

1 œuf

PORC PANÉ
TONKATSU

Pour 4 personnes
Préparation : 15 minutes • Cuisson : 8 minutes

Émincez le chou en très fines lanières. Battez l'œuf dans une assiette creuse. Déposez la chapelure dans une autre assiette.

Salez et poivrez les escalopes. Passez-les dans l'œuf battu puis dans la chapelure (veillez à ce que la chapelure adhère bien).

Faites chauffer un bain d'huile dans un wok. Faites cuire les escalopes pendant 6 à 8 minutes environ jusqu'à ce qu'elles prennent une belle couleur dorée (procédez en deux fois). Égouttez-les sur du papier absorbant.

Coupez les escalopes en tranches et disposez-les dans un plat sur le chou émincé.

++

Vous pouvez déguster ces escalopes panées avec un filet de sauce soja ou de sauce tonkatsu (en épicerie asiatique).

JAPAN'S No.1 BEER

CURRY
JAPONAIS

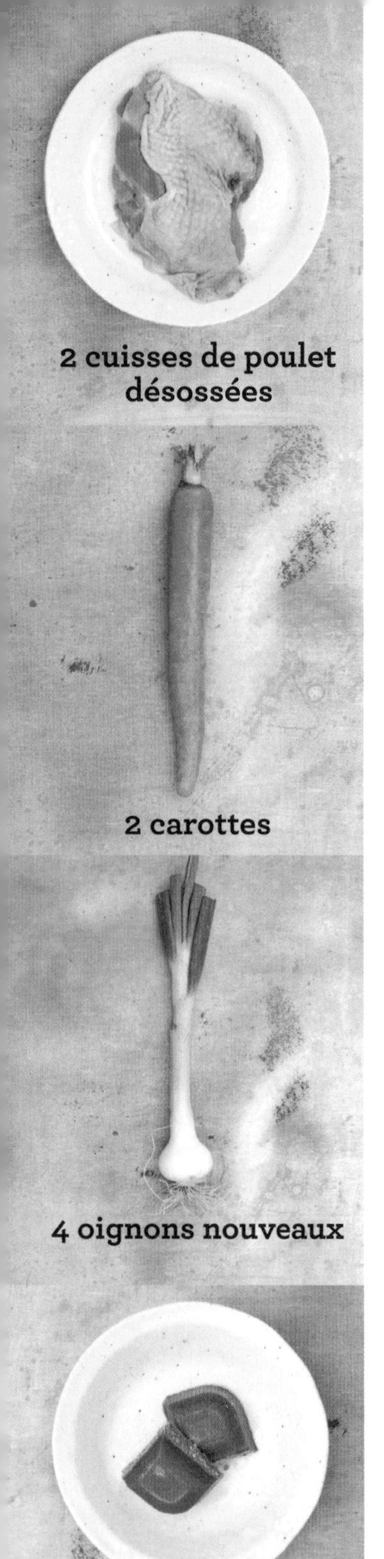

2 cuisses de poulet désossées

2 carottes

4 oignons nouveaux

80 g de curry japonais (en vente dans les épiceries asiatiques)

Pour 4 personnes
Préparation : 15 minutes • Cuisson : 25 minutes

Retirez la peau des cuisses de poulet et coupez la chair en cubes. Pelez les carottes et coupez-les en rondelles. Émincez les oignons nouveaux.

Faites chauffer un peu d'huile de tournesol dans une casserole puis faites-y revenir les rondelles de carottes pendant 3 à 4 minutes à feu vif.

Déposez les cubes de poulet ainsi que le blanc des oignons (réservez le vert pour la décoration). Faites revenir le tout pendant 2 à 3 minutes en remuant. Versez 60 cl d'eau, portez à ébullition puis laissez cuire 15 minutes à feu doux.

Incorporez les cubes de curry. Laissez mijoter pendant 5 minutes à feu doux sans cesser de remuer afin de dissoudre les cubes de curry et de faire épaissir la sauce. Décorez avec le vert des oignons nouveaux avant de servir.

6 pommes de terre moyennes

2 oignons nouveaux

300 g de plats de côtes de porc

4 cuillerées à soupe de sauce soja sucrée

POT-AU-FEU JAPONAIS

Pour 4 personnes
Préparation : 15 minutes • Cuisson : 30 minutes

Épluchez les pommes de terre et coupez-les en carrés de 3 à 4 cm. Émincez les oignons nouveaux.

Plongez les plats de côtes dans une casserole d'eau bouillante. Laissez cuire pendant 10 minutes. Égouttez la viande. Jetez l'eau de cuisson.

Déposez les légumes et la viande dans une cocotte. Ajoutez 50 cl d'eau, portez à ébullition puis laissez mijoter pendant 10 minutes à feu doux.

Ajoutez la sauce soja sucrée. Mélangez et laissez cuire pendant 8 minutes. Désossez la viande et coupez-la en lamelles avant de déguster.

SUSHI
AU SAUMON

Pour 4 personnes
Préparation : 30 minutes
Repos : 10 minutes • Cuisson : 12 minutes

Préparez le riz vinaigré comme décrit p. 62. Retirez la peau et les arêtes du saumon. Coupez le saumon en tranches de 0,5 cm d'épaisseur.

Humidifiez vos mains afin d'éviter au riz de coller. Déposez une petite quantité de riz vinaigré dans le creux de votre main. Pressez légèrement le riz en le faisant rouler afin d'obtenir une boulette ovale.

Placez une pointe de wasabi avec votre doigt sur la boulette ou au centre de la tranche de saumon.

Déposez la tranche de saumon sur la boulette de riz. À l'aide de deux doigts, exercez une nouvelle pression sur le poisson afin qu'il adhère à la boulette de riz.

Déposez le nigiri sushi formé sur le plat de service. Recommencez pour former ainsi 32 sushi. Dégustez éventuellement avec de la sauce soja.

IN TUBE
WASABI

300 g de riz japonais (2 verres)

400 g de thon albacore très frais

2 avocats

4 cuillerées à soupe de vinaigre à sushi

CHIRASHI
SUSHI

Pour 4 personnes
Préparation : 10 minutes
Repos : 10 minutes • Cuisson : 12 minutes

Préparez le riz vinaigré. Rincez le riz dans plusieurs eaux jusqu'à ce que l'eau soit limpide. Égouttez-le et mettez-le dans une casserole avec 40 cl (2 verres) d'eau. Couvrez, portez à ébullition puis laissez cuire 12 minutes à feu très doux.

Retirez la casserole du feu et laissez reposer pendant 10 minutes environ à couvert. Arrosez le riz encore chaud de vinaigre à sushi. Mélangez délicatement. Laissez tiédir sous un torchon humide.

Pendant ce temps, coupez le thon en dés. Pelez et dénoyautez les avocats. Coupez leur chair en dés.

Répartissez le riz vinaigré dans 4 bols, et disposez par-dessus les dés de thon et d'avocat. Dégustez éventuellement avec de la sauce soja.

150 g de riz japonais (1 verre)

½ concombre

2 feuilles de nori

2 cuillerées à soupe de vinaigre à sushi

MAKI

Pour 4 personnes
Préparation : 15 minutes
Repos : 10 minutes • Cuisson : 12 minutes

Préparez le riz vinaigré comme décrit p. 62. Épluchez le concombre et coupez-le en julienne (fins bâtonnets). Coupez chaque feuille de nori en deux.

Posez ½ feuille de nori sur la natte à maki, face brillante et lisse contre la natte. Étalez une couche de riz sur les trois quarts de la feuille de nori. Déposez ¼ des ingrédients en une bande sur le riz.

Tout en maintenant avec vos doigts les ingrédients, soulevez le bord de la natte qui se trouve devant vous. Recouvrez la garniture : le bord de la feuille doit venir toucher la fin de la bande de riz. Pressez la natte avec vos mains afin de former un cylindre. Tout en tirant la natte d'une main, faites rouler le maki petit à petit. À chaque petit roulement, pressez le maki pour que la feuille de nori adhère bien.

Retirez la natte et placez le rouleau sur une planche. Réalisez ainsi 3 autres maki et coupez-les chacun en 6 bouchées.

450 g de riz japonais (3 verres)

4 tranches de jambon cuit

4 œufs

200 g de petits pois écossés

RIZ SAUTÉ

Pour 4 personnes
Préparation : 15 minutes
Repos : 10 minutes • Cuisson : 20 minutes

Rincez le riz dans plusieurs eaux jusqu'à ce que l'eau soit limpide. Égouttez-le et mettez-le dans une casserole avec 60 cl (3 verres) d'eau. Couvrez, portez à ébullition puis laissez cuire 12 minutes à feu très doux. Retirez la casserole du feu et laissez reposer pendant 10 minutes environ à couvert.

Coupez le jambon en dés. Dans un bol, battez les œufs avec 1 pincée de sel.

Dans un wok, faites chauffer 1 filet d'huile végétale. Versez les œufs battus et, dès qu'ils commencent à prendre, mélangez avec une spatule. Retirez du feu avant que le mélange soit complètement cuit. Débarrassez sur une assiette.

Versez 1 filet d'huile végétale dans le wok (nettoyé) et faites revenir les petits pois pendant 5 minutes à feu moyen. Salez, poivrez.

Incorporez le jambon puis le riz cuit. Mélangez le tout pendant 2 à 3 minutes à feu moyen.

Hors du feu, incorporez l'omelette et servez aussitôt.

300 g de riz japonais (2 verres)

½ boîte de thon

2 cuillerées à soupe de graines de sésame

1 feuille d'algue nori

ONIGIRI

Pour 4 personnes
Préparation : 10 minutes
Repos : 10 minutes • Cuisson : 12 minutes

Procédez à la cuisson du riz en suivant les indications p. 66. Égouttez et émiettez le thon.

Dans un saladier, mélangez délicatement le riz cuit, le thon, les graines de sésame et ½ cuillerée à café de sel.

Avec vos mains humidifiées, prélevez ¼ du riz en le compactant légèrement afin de former un triangle : l'astuce est de tourner le triangle entre ses mains de façon à avoir une pression homogène sur les trois bords (sans compresser le riz qui ne doit surtout pas être écrasé).

Réalisez 7 autres onigiri avec le reste de riz. Découpez la feuille de nori en 8 bandes. Placez ensuite 1 bande d'algue nori à la base de chaque onigiri.

以前職場の同僚の女性と
帰宅途中に…
ペチャクチャ
ペチャクチャ
身ぶり手ぶりで
夢中で話す
私の男っぽい手を
じーーっと見ている
うちに…
なんだかしんがりがっかりしてしまったとのこと
ここはどこ

TAKIKOMI

Pour 4 personnes
Préparation : 10 minutes
Repos : 10 minutes • Cuisson : 12 minutes

Retirez la peau du poulet et coupez-le en dés.

Rincez le riz plusieurs fois jusqu'à ce que l'eau soit limpide. Égouttez-le et transvasez-le dans une cocotte. Déposez les dés de poulet sur le riz. Ajoutez 60 cl d'eau (3 verres).

Assaisonnez de sauce soja sucrée et de poudre dashi. Mélangez, couvrez et portez à ébullition puis faites cuire pendant 12 minutes à feu doux.

Éteignez le feu et laissez reposer pendant 10 minutes environ à couvert. Mélangez le riz avant de déguster.

++

Décorez éventuellement d'algues.

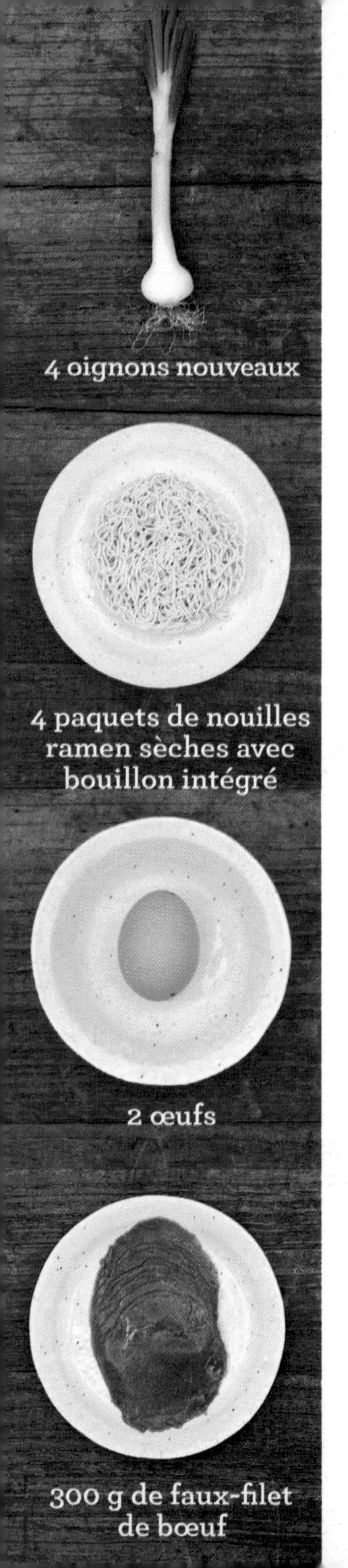

SOUPE RAMEN

Pour 4 personnes
Préparation : 10 minutes • Cuisson : 15 minutes

Émincez finement les oignons nouveaux. Déposez-les dans une casserole (gardez un peu de vert pour la décoration), versez 1,2 litre d'eau. Assaisonnez avec la poudre de bouillon du paquet de ramen et de sauce soja. Portez à ébullition et faites cuire les oignons pendant 5 minutes.

Faites cuire les nouilles dans une casserole d'eau bouillante selon les indications du paquet (2 à 4 minutes). Égouttez-les.

Faites cuire les œufs dans une casserole d'eau bouillante pendant 5 minutes. Égouttez-les, écalez-les et coupez-les en deux.

Coupez la viande en très fines lamelles, salez-les et poivrez-les. Dans une poêle huilée, faites revenir les lamelles de faux-filet pendant 1 minute.

Déposez les nouilles dans 4 grands bols. Répartissez la garniture, versez le bouillon bien chaud et garnissez de la partie verte des oignons nouveaux émincés.

YAKISOBA

Pour 4 personnes
Préparation : 15 minutes • Cuisson : 10 minutes

Faites cuire les nouilles dans une casserole d'eau bouillante selon les indications du paquet.

Rincez-les à l'eau froide et égouttez-les.

Épluchez la carotte et coupez-la en julienne. Émincez les oignons nouveaux.

Faites revenir la julienne de carotte dans un filet d'huile végétale pendant 3 minutes. Ajoutez les oignons émincés et poursuivez la cuisson pendant 2 minutes.

Ajoutez les nouilles cuites puis versez la sauce yakisoba. Faites sauter le tout pendant 2 minutes.

Servez aussitôt.

++

Vous pouvez remplacer les nouilles yakisoba par des nouilles ramen et la sauce yakisoba par de la sauce teriyaki.

ZARU SOMEN

Pour 4 personnes
Préparation : 10 minutes • Cuisson : 10 minutes

Préparez la sauce : dans une casserole, déposez la poudre de bouillon dashi. Versez 20 cl d'eau et la sauce soja sucrée. Faites réduire pendant 5 minutes environ à feu doux.

Émincez finement la ciboule.

Faites cuire les nouilles dans une casserole d'eau bouillante selon les indications du paquet (2 minutes environ). Passez-les sous l'eau froide et égouttez-les.

Versez la sauce dans 4 petits bols : chacun trempera les nouilles somen avec la garniture dans son bol de sauce.

Vous pouvez également faire cette recette avec des nouilles soba.

SOBA
EN SALADE

Pour 4 personnes
Préparation : 10 minutes • Cuisson : 5 minutes

Faites tremper les algues wakamé séchées dans un grand bol d'eau froide pendant 10 minutes pour les réhydrater. Égouttez-les en les pressant bien avec vos mains.

Retirez le pédoncule des tomates cerises et coupez-les en deux.

Faites cuire les nouilles dans une casserole d'eau bouillante selon les indications du paquet (4 à 5 minutes). Passez-les sous l'eau froide et égouttez-les.

Répartissez les nouilles dans 4 bols. Recouvrez de wakamé et de tomates cerises. Assaisonnez de sauce ponzu.

Vous pouvez vous-même réaliser une sauce ponzu en mélangeant la même quantité de sauce soja, de jus de citron et de bouillon dashi.

UDON
AU CANARD

Pour 4 personnes
Préparation : 10 minutes • Cuisson : 10 minutes

Coupez le magret de canard en fines tranches. Faites cuire le magret de canard pendant 5 minutes côté peau dans une poêle bien chaude. Réservez.

Faites cuire les nouilles dans une casserole d'eau bouillante selon les indications du paquet (2 à 4 minutes). Égouttez-les.

Coupez le magret en très fines lamelles. Dans une casserole, versez 1,2 litre d'eau. Ajoutez la poudre dashi, la sauce soja et ½ cuillerée à café de sel. Couvrez, et portez à ébullition.

Répartissez les nouilles et les tranches de canard dans 4 grands bols. Versez le bouillon très chaud. Poivrez les lamelles de canard et servez aussitôt.

KIKKOMAN

DESSERTS

Au Japon, les desserts ne sont pas fréquents
et les sucreries japonaises se dégustent plutôt pour
accompagner le thé et non en fin de repas.
Les pâtisseries traditionnelles sont souvent
à base de pâte de haricot rouge (anko), de matcha,
de sésame noir ou des gelées prises à l'agar-agar.
Comme chez nous, nous avons du mal à nous
passer de dessert en fin de repas,
je vous ai concocté quelques recettes
faciles de dessert à la japonaise.
Bonne dégustation !

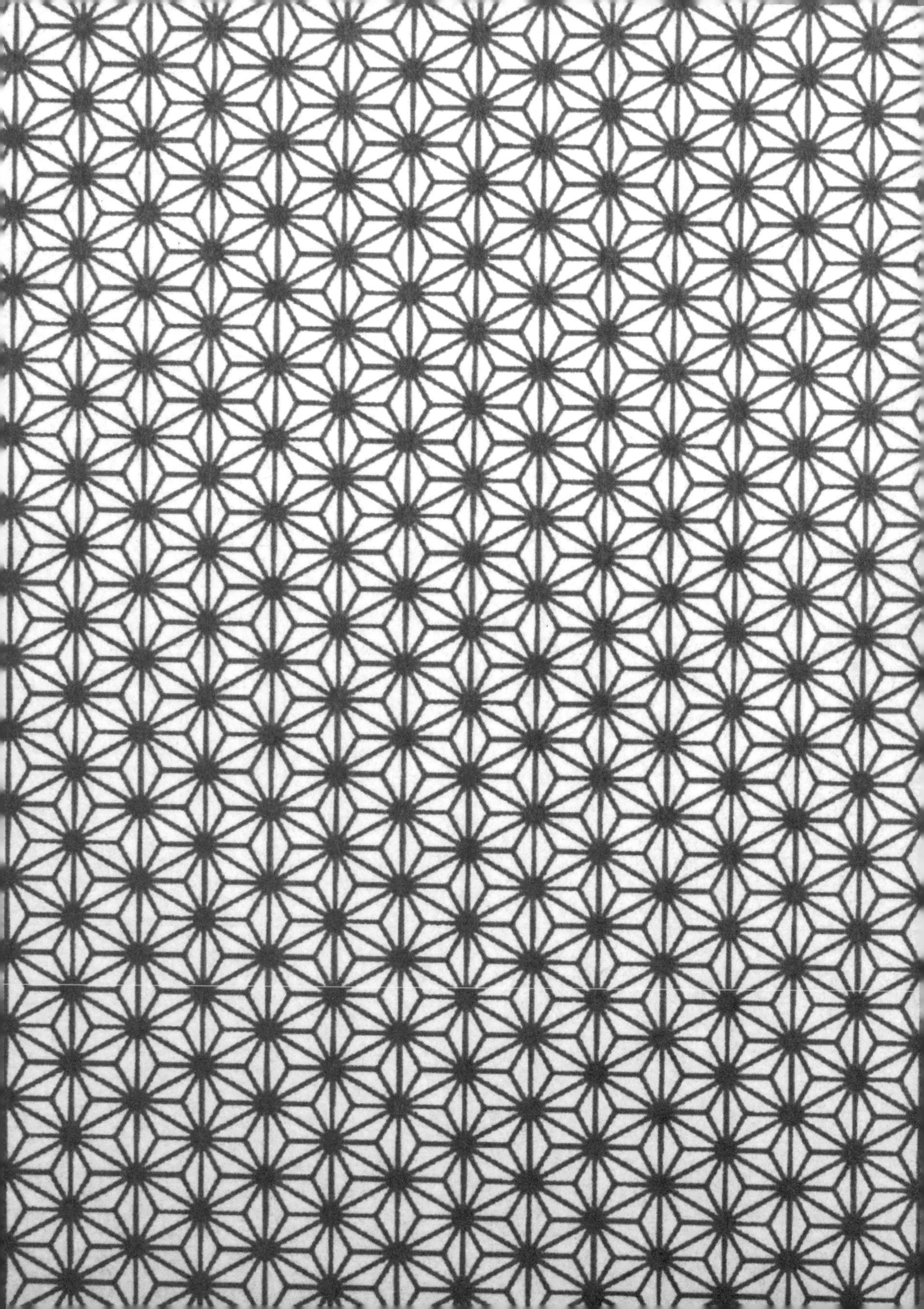

MATCHA ICE

Pour 4 personnes
Préparation : 10 minutes

Diluez 1 cuillère à café de matcha et le sucre dans 10 cl d'eau chaude. Laissez tiédir.

Coupez les fraises en petits dés.

Dans chaque verrine, déposez 2 boules de glace à la vanille.

Versez le thé Matcha et déposez les dés de fraises.

Saupoudrez du reste de poudre de matcha et servez aussitôt.

++

En dehors de la saison des fraises vous pouvez utiliser des poires.

DAIFUKU

Pour 4 personnes
Préparation : 15 minutes • Cuisson : 15 minutes

Formez des boules de pâte de haricot rouge de la taille d'une balle de golf. Réservez-les au réfrigérateur.

Dans un bol, mélangez la farine de riz gluant, le sucre et 15 cl d'eau.

Chauffez de l'eau dans un cuit-vapeur. Disposez le bol dans le panier vapeur, couvrez et faites cuire pendant 15 minutes. Mélangez à l'aide d'une spatule en silicone.

Déposez la fécule sur le plan de travail et versez dessus la pâte cuite. Recouvrez de fécule car elle est très collante (n'hésitez pas à en mettre beaucoup). Formez un boudin et découpez-le en huit.

Prenez une boule de pâte et étalez-la dans le creux de votre main. Déposez une boule d'anko, recouvrez-la de pâte et fermez le daifuku. Procédez de même pour les 7 autres daifuku.

YOKAN AU MARRON

Pour 4 personnes
Préparation : 15 minutes
Repos : 2 heures • Cuisson : 1 minute

Dans une casserole, mélangez 15 cl d'eau, la poudre d'agar-agar et la fécule de maïs. Portez à ébullition et faites frémir pendant 30 secondes en fouettant sans cesse.

Hors du feu, ajoutez la crème de marron. Mélangez au fouet pour obtenir une texture onctueuse.

Versez la préparation dans un moule de 12 cm × 10 cm. Répartissez les marrons glacés dans le moule et laissez refroidir à température ambiante. Placez 2 heures minimum au réfrigérateur.

Démoulez et coupez en lamelles avant de servir.

MOELLEUX
AU SÉSAME NOIR

Pour 4 personnes
Préparation : 15 minutes • Cuisson : 8 minutes

Préchauffez le four à 180 °C (th. 6). Séparez les jaunes des blancs d'œufs.

Dans un saladier, battez les jaunes d'œufs avec le sucre jusqu'à obtenir un mélange mousseux. Ajoutez la purée de sésame noir et la fécule de maïs. Mélangez.

Ajoutez une pincée de sel dans les blancs d'œufs et montez-les en neige. Incorporez-les délicatement au mélange.

Versez l'appareil dans les moules en silicone et enfournez pour 7 à 8 minutes de cuisson. Dégustez aussitôt car le cœur doit être encore chaud pour être coulant !

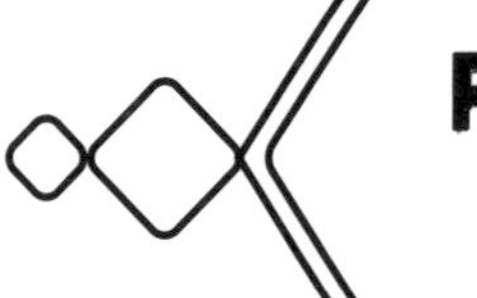

POUR ALLER PLUS LOIN

Toutes les recettes de ce livre se réalisent très facilement avec seulement 4 ingrédients. Mais si vous avez envie d'aller plus loin et d'ajouter des petits éléments pour enrichir ces plats, je vous suggère ici 2 ingrédients supplémentaires pour chaque plat.

Soupe miso
4 champignons de Paris
1 oignon nouveau émincé

Salade japonaise au concombre
Graines de sésame à saupoudrer
1 cuillerée à café d'huile de sésame toasté

Salade japonaise au chou
2 brins de coriandre ciselés
Graines de sésame à saupoudrer

Salade mangue et avocat
1 boîte de chair de crabe
2 brins de coriandre ciselés

Tofu frit agedashi
¼ de radis daïkon râpé
1 oignon nouveau émincé

Tofu au gingembre
Graines de sésame à saupoudrer
1 cuillerée à soupe de mirin dans la sauce

Omelette japonaise
50 g de thon en boîte
2 brins de ciboulette ciselés

Flan japonais Chawanmushi
1 cuillerée à soupe de petits pois cuits
Quelques feuilles de céleri branche pour la décoration

Aubergines au miso
Graines de sésame à saupoudrer
1 filet d'huile de sésame toasté

Shiitaké grillés
2 brins de coriandre ciselés
Graines de sésame à saupoudrer

Asperges miso-mayo
8 crevettes cuites décortiquées
1 cuillerée à café de jus de citron vert

Épinards au sésame
2 brins de ciboulette ciselés
1 cuillerée à soupe de mirin dans la sauce sésame

Gyoza
1 oignon nouveau émincé dans la farce
1 gousse d'ail râpée dans la farce

Tataki de maquereau
Quelques feuilles de shiso (ou de roquette) ciselées
1 cuillerée à café de vinaigre de riz dans l'assaisonnement

Saumon teriyaki
1 cuillerée à café de gingembre râpé dans la marinade
Graines de sésame à saupoudrer

Hareng grillé au miso
¼ de navet daïkon râpé pour la dégustation
1 citron pour assaisonner en fin de cuisson

Sashimi de daurade
Quelques feuilles de shiso (ou de coriandre) ciselées
1 pointe de wasabi

Tempura de crevette
1 carotte finement émincée et cuite de la même façon que les crevettes
¼ de navet daïkon râpé pour la dégustation

Brochettes yakitori
4 champignons de Paris à piquer sur les brochettes
Graines de sésame à saupoudrer

Bœuf yakiniku
1 gousse d'ail râpée dans la marinade
2 cuillerées à soupe de mirin dans la marinade

Porc pané tonkatsu
Quelques feuilles de persil pour la décoration
Sauce tonkatsu pour la dégustation

Curry japonais
1 pomme râpée à ajouter avec les cubes de curry pour adoucir
4 bols de riz pour faire un repas complet

Pot-au-feu japonais
1 carotte coupée en rondelles
Quelques champignons de Paris

Sushi au saumon
Graines de sésame à incorporer dans le riz
Sauce soja pour la dégustation

Chirashi sushi
Wasabi et gingembre vinaigré pour la dégustation

Maki
Wasabi et sauce soja pour la dégustation

Riz sauté
1 oignon pelé et émincé à faire sauter
½ bouquet de persil ciselé

Onigiri
4 brins de ciboulette ciselés
1 pointe de mayonnaise pour la dégustation

Takikomi
2 cuillerées à soupe de petits pois cuits
2 cuillerées à soupe de saké

Soupe ramen
1 feuille de nori à couper en quatre pour la garniture
Un peu de purée de piment ou de Tabasco pour assaisonner

Yakisoba
¼ de chou chinois émincé
160 g de filet de porc coupé en fines lamelles

Zaru somen
1 cuillerée à café de gingembre frais râpé
Graines de sésame

Soba en salade
1 petite poignée de roquette
4 œufs durs écalés et coupés en lamelles

Udon au canard
1 poignée d'épinards
2 cuillerées à soupe de mirin dans le bouillon

Matcha Ice
1 filet de saké glacé
4 sablés pour accompagner

Daifuku
8 fraises à glisser au milieu des boules de anko (purée de haricot rouge)
1 cuillerée à café de poudre de matcha dans la farine de riz gluant

Yokan au marron
1 filet de liqueur de châtaigne
4 tasses de thé vert pour accompagner

Moelleux au sésame noir
1 cuillerée à soupe de levure
1 barquette de framboises pour accompagner

POUR ALLER PLUS LOIN DANS VOS ACHATS...

Les épiceries japonaises

• Kioko
46, rue des Petits-Champs
75002 Paris
Tél. : 01 42 61 33 66
www.kioko.fr

• Workshop Issé
11, rue Saint-Augustin
75002 Paris
Tél. : 01 42 96 26 74

• Kanae
118, rue Lecourbe
75015 Paris
Tél. : 01 40 59 98 03
www.kanae-paris.com

• Satsuki
37, avenue Lacassagne
69003 Lyon
Tél. : 09 80 82 97 52
www.satsuki.fr

• Nishikidôri Market
www.nishikidori.com
Sushi Boutique
www.sushiboutique.com

• Le marché japonais
www.lemarchejaponais.fr

Les épiceries asiatiques

• Ace Mart
63, rue Sainte-Anne
75002 Paris
Tél. : 01 42 97 56 80

• Exo Store
52, avenue de Choisy
75013 Paris
Tél. : 01 44 24 25 23

• Tang Frères
48, avenue d'Ivry
75013 Paris
Tél. : 01 45 70 80 00

• Tam Ky
5, place Halles-Delacroix
13001 Marseille
Tél. : 04 91 54 00 86

• China Express
4, rue Pasteur
69007 Lyon
Tél. : 04 72 72 98 24

• Paris Store
12, rue Passet
69007 Lyon
Tél. : 04 78 58 48 88

Cours et stages de cuisine japonaise :
www.laurekie.com
www.shi-zen.fr

REMERCIEMENTS

どうもありがとう Arigato !
Un grand merci à Patrice pour cette belle complicité et à Aurélie pour la confiance renouvelée.

ET POUR ALLER ENCORE PLUS
LOIN DANS LA CUISINE JAPONAISE

ÉQUIVALENCES

MESURES LIQUIDES

Système métrique	Système américain	Autre nom
5 ml	1 cuillère à thé (cuillère à café française)	
15 ml	1 cuillère à table (cuillère à soupe française)	
35 ml	1/8 cup (tasse française)	1 oz (ou once)
65 ml	1/4 cup ou 1/4 grand verre	2 oz
125 ml	1/2 cup ou 1/2 grand verre	4 oz
250 ml	1 cup ou 1 grand verre	8 oz
500 ml	2 cups ou 1 pinte	
1 litre	4 cups ou 2 pintes	

MESURES SOLIDES

Système métrique	Système américain	Autre nom
30 g	1/8 oz	
55 g	1/8 lbs	2 oz
115 g	1/4 lbs	4 oz
170 g	3/8 lbs	6 oz
225 g	1/2 lbs	8 oz
454 g	1 livre	16 oz

CHALEUR DU FOUR

Chaleur	° Celsius	Thermostat	° Fahrenheit
Très doux	70 °C	Th. 2-3	150 °F
Doux	100 °C	Th. 3-4	200 °F
	120 °C	Th. 4	250 °F
Moyen	150 °C	Th. 5	300 °F
	180 °C	Th. 6	350 °F
Chaud	200 °C	Th. 6-7	400 °F
	230 °C	Th. 7-8	450 °F
Très chaud	260 °C	Th. 8-9	500 °F

Direction éditoriale : Anne la Fay
Édition : Aurélie Cazenave, Rachel Crabe
Direction de création : Julie Mathieu
Maquette : Natacha Marmouget
Lecture-correction : Claire Fontanieu
Fabrication : Thierry Dubus et Marie Guib
N° d'édition : A16067 - ISBN : 97823170111
MDS : 63256

Achevé d'imprimer en avril 2016 par Estella
en Espagne
Photogravure : Amalthea
Dépôt légal : mai 2016 - Édition n°1

Retrouvez-nous sur :
https://www.facebook.com/Mangocuisin

www.mangoeditions.com